迪士尼 我会自己读 第7级

虫虫特工队

童趣出版有限公司编　　人民邮电出版社出版
北　　京

缓步出发大步走

儿童阅读的作用和意义，家长们已经达成共识，不需要在此加次讨论。不过，家长们还是有一些普遍困惑，例如，孩子在幼儿园要不要识字？通过什么方式识字？孩子在幼儿园不识字能否应对小学之初的压力？如何处理父母读和自主读的关系？阅读兴趣和语言学习如何兼顾？

这套书正是为了解答上述疑惑而编写的。编写者希望在儿童阅读的纷繁流派中，坚持一些基本观点，探索中国孩子学习阅读的独特途径。这些观点主要如下：一、早期阅读要把阅读兴趣的培养放到最重要的位置来考虑；二、通过这套书让孩子在幼儿园认识 500 个常用字，为小学阶段的学习减轻压力和奠定基础；三、不鼓励父母用识字卡片的方式教孩子识字，把生字放到故事中更有意义；四、在小学三年级的阅读关键期，实现孩子自主阅读；五、幼儿园阶段既鼓励亲子阅读，又鼓励孩子自主阅读。由此，这套书主要有如下特点：

科学性。从选择高频、简单、构词能力强的字先认，到通过各种方式复现，再到故事内容的打磨，最后培养出优秀的阅读者。从分级阅读的角度，综合考虑生字、生词、句子长度、主题深浅等多个因素，编写出难度递增的故事。

趣味性。选择了迪士尼的漫画人物和漫画故事作为主要内容，降低阅读难度，增强阅读趣味。由于有识字的安排，创作故事犹如“戴着镣铐跳舞”，但故事仍然精彩十足，劲道十足。

功能性。把识字放在重要位置，同时兼顾文学性。和时下流行的图画书不同，本套书把学习功能放到重要位置。希望通过有趣的故事，让孩子认识汉字，早日实现自主阅读。

希望通过这套书，帮助孩子在阅读之路上缓缓起步，培养自信，锻炼能力，然后再大步流星，一路前行，成为趣味高雅、兴趣充盈的阅读者！

王林（儿童阅读专家）

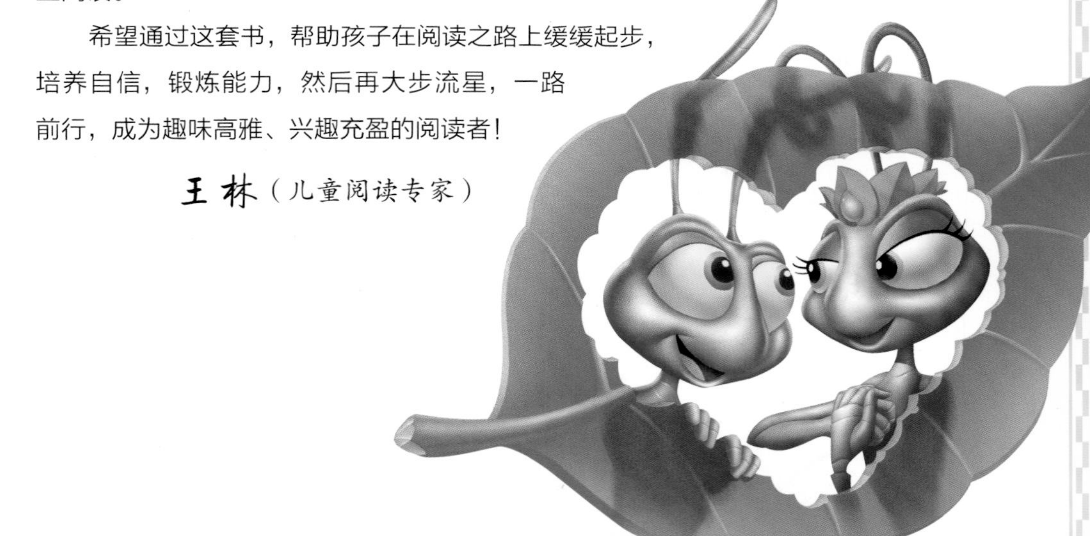

虫虫特工队（上）

^{zài lǜ sè de cǎo cóng li} ^{yǒu yí gè xiǎo xiǎo de mǎ yǐ wáng}
在绿色的草丛里，有一个小小的蚂蚁王

^{guó} ^{wáng guó de zǐ mín men zhèng máng zhe yùn sòng guǒ zi} ^{jīn nián de}
国。王国的子民们正忙着运送果子。今年的

^{guǒ zi hǎo duō a} ^{yǎn kàn shí tou tái dōu fàng bú xià le}
果子好多啊，眼看石头台都放不下了。

^{zhè xiē guǒ zi běn yīng shì dà jiā guò dōng chī de} ^{xiàn zài zhǐ}

这些果子本应是大家过冬吃的，现在只

^{néng bái bái de sòng gěi} ^{men} ^{xiǎo mǎ yǐ men hěn bù kāi xīn} ^{dàn}
能白白地送给蚱蜢们。小蚂蚁们很不开心，但

^{méi yǒu bié de bàn fǎ}
没有别的办法。

“呼呼呼！”小蚂蚁飞力背着一个木头做的丑东西落在了蚂蚁公主的身边。“看，公主，这是我新发明的自动收割机。”飞力高兴地对公主说。

公主看了飞力一眼，尖声说道：“我可没时间看你的发明，快干活儿去吧！”

公主的妹妹小不点儿很喜欢飞力。她问飞力：“我为什么这么小？”飞力拿起一块石头说：“把石头想成种子，只要给它时间，种子就能长成大树。”小不点儿听明白了，高兴得直点头。

jiù zài zhè shí nǚ wáng jí jí máng máng de pǎo le guò lái
就在这时，女王急急忙忙地跑了过来。

kě pà de lái le xiǎo bu diǎnr kuài hé dà jiā yì qǐ
“可怕的蚱蜢来了，小不点儿，快和大家一起

duǒ jìn shān li qù nǚ wáng dà hǎn dào
躲进山里去！”女王大喊道。

bēi zhe de fēi lì luò zài le zuì hòu tā yì zháo
背着收割机的飞力落在了最后。他一着

jí pèng dào le guǒ zi tái guǒ zi tái xià de shí tou diào luò zài
急，碰到了果子台，果子台下的石头掉落在

dì shang guǒ zi quán dōu
地上，果子全都
luò xià le shān chén rù
落下了山，沉入
le hé li
了河里。

这边，蚱蜢们手拿家伙打了进来。蚱蜢们的头儿，那个只有一只眼的蚱蜢捉住了小不点儿。“快说，果子在哪儿？”他大声地向蚂蚁公主喊道。

蚂蚁公主吓得结结巴巴地说：“我们……我们自己冬天也要吃东西啊！”

“你们？你们吃什么自己想办法。在最后一片树叶落地之前，把果子交上来。不然，一个都别想活！”说完，蚱蜢头儿甩手走了。

“是你害了大家！”蚂蚁公主生气地向飞力喊道。她决定把飞力赶出蚂蚁国。这时，飞力提出了一个想法：“我去城里找一些勇士帮我们打跑蚱蜢们，怎么样？”

大家也没有更好的办法了。就这样，飞力要离开家园了。出发前，小不点儿为他送行：

fēi lì nǐ yí dìng néng dài zuì
“飞力，你一定能带最
bàng zuì yǒu lì qi de yǒng shì huí
棒、最有力气的勇士回
lái de
来的！”

zài chéng li　　yǒu yí gè chóng chóng mǎ xì tuán　　lǐ miàn de chóng chóng

在城里，有一个虫虫马戏团，里面的虫虫

dōu gè yǒu běn shi　　dàn yīn wèi gàn huór zǒng shì mǎ hu　　tā men gāng

都各有本事。但因为干活儿总是马虎，他们刚

gāng diū le gōng zuò　　zhè huìr　　　tā men méi yǒu shì zuò　　zhèng zài fáng

刚丢了工作。这会儿，他们没有事做，正在房

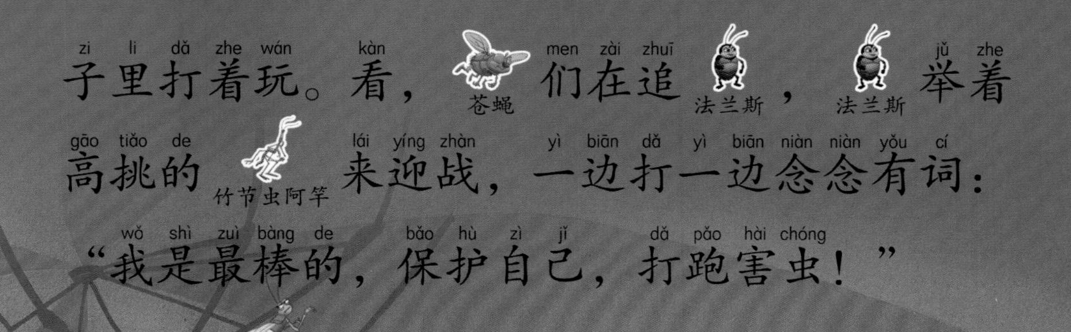

子里打着玩。看，苍蝇们在追法兰斯，法兰斯举着高挑的竹节虫阿竿来迎战，一边打一边念念有词：“我是最棒的，保护自己，打跑害虫！”

路过这里的飞力刚好听到了法兰斯的话，又看到苍蝇们被打得落花流水，高兴地拍起手来。“我正在找像你们这样的天才！跟我去蚂蚁山吧！”虫虫们以为飞力要请他们去演出，开心地应下了。

dì èr tiān yì zǎo fēi lì dài zhe chóng chóng men huí dào le mǎ yǐ
第二天一早，飞力带着虫虫们回到了蚂蚁

shān xiǎo bu diǎnr dì yī gè kàn dào le fēi lì fēi lì wǒ jiù
山。小不点儿第一个看到了飞力。“飞力，我就

zhī dào nǐ néng zuò dào de tā kāi xīn de dà hǎn qǐ lái
知道你能做到的！”她开心地大喊起来。

jiàn fēi lì zhēn de dài huí le yǒng shì mǎ yǐ nǚ wáng hé mǎ yǐ
见飞力真的带回了勇士，蚂蚁女王和蚂蚁

gōng zhǔ yě hěn gāo xìng tā men wèi chóngchóng men jǔ xíng le huān yíng huì
公主也很高兴，她们为虫虫们举行了欢迎会。

chóngchóng men hé mǎ yǐ men wán a xiào a shí fēn kāi xīn
虫虫们和蚂蚁们玩啊，笑啊，十分开心。

huān yíng fēi lì hé yǒng shì men ràng wǒ men yì qǐ yíng zhàn
“欢迎飞力和勇士们，让我们一起迎战

mǎ yǐ gōng zhǔ gāo shēng shuō chóng chóng men zhè cái míng bai
蚱蜢！”蚂蚁公主高声说。虫虫们这才明白

tā men de gōng zuò shì shén me
他们的工作是什么。

lái dào fēi lì shēn biān xì shēng xì yǔ de
蜘蛛萝丝来到飞力身边，细声细语地

duì fēi lì shuō fēi lì wǒ men shì zài mǎ xì tuán li
对飞力说：“飞力，我们是在马戏团里

biǎo yǎn de bú shì shén me yǒng shì fēi lì tīng
表演的，不是什么勇士！”飞力听
le lì mǎ xīn lǐ yì chén xīn xiǎng zhè kě zěn me
了，立马心里一沉，心想这可怎么
bàn a
办啊！

没等飞力开口，虫虫们就决定离开这里，去别的地方找新的工作。就在这时，一只大鸟忽然从草丛里飞了出来，样子很吓人。只见这只大鸟长着尖尖的嘴巴和一双黑黑的眼睛，虫虫和蚂蚁们哪是大鸟的对手，大家吓得跑的跑，躲的躲。

dà niǎo zhí jiē xiàng xiǎo bu diǎnr fēi qù
大鸟直接向小不点儿飞去，

yǎn kàn xiǎo bu diǎnr jiù yào bèi zhuō zhù le shuō
眼看小不点儿就要被捉住了。说

shí chí nà shí kuài fēi shēn shàng qián
时迟，那时快，法兰斯飞身上前，

lán zhù dà niǎo jiē zhù xiǎo bu diǎnr rán hòu
拦住大鸟，接住小不点儿，然后

dài tā duǒ jìn le yì tiáo xì xì de li
带她躲进了一条细细的地缝里。

大鸟飞落在地上，生气地跳来跳去，用嘴
dà niǎo fēi luò zài dì shang，shēng qì de tiào lái tiào qù，yòng zuǐ

一遍遍地啄地面，法兰斯的脚都被落下来的土块儿
yí biàn biàn de zhuó dì miàn， de jiǎo dōu bèi luò xià lái de tǔ kuàir

伤到了。情急之下，飞力有了一个好点子——他
shāng dào le。qíng jí zhī xià，fēi lì yǒu le yí gè hǎo diǎn zi——tā

让阿竿举着胖胖的哈其林引开大鸟，甲虫迪姆找机会
ràng jǔ zhe pàng pàng de yǐn kāi dà niǎo， zhǎo jī huì

飞过去救出了法兰斯和小不点儿。
fēi guò qù jiù chū le hé xiǎo bu diǎnr。

蚂蚁公主和蚂蚁女王看到了这一切，为他们拍手叫好。“你们打跑了大鸟，真是太勇敢了！要知道，连蚱蜢都害怕这种大鸟的！”蚂蚁公主说。

gōng zhǔ de huà diǎn huà le fēi lì tā pāi pai tóu xiǎng dào le
公主的话点化了飞力，他拍拍头，想到了

yí gè xīn diǎn zi zuò yì zhī xià pǎo lái yào guǒ zi
一个新点子——做一只假鸟，吓跑来要果子

de men guǒ rán dāng tā duì mǎ yǐ men shuō chū zì jǐ de xiǎng
的蚱蜢们。果然，当他对蚂蚁们说出自己的想

fǎ shí dà jiā dōu pāi shǒu jiào hǎo
法时，大家都拍手叫好！

虫虫特工队（下）

接下来的日子里，虫虫和蚂蚁们都忙坏了。他们找来各种各样的东西，像树叶啊，苹果啊，桃子啊，一遍遍地亲自尝试。大家大胆地想，勇敢地做，快乐地交流，对打跑蚱蜢十分有信心。

几天后，假鸟完工了。大家合力把假鸟挂在了树上。

“我的朋友，你们是真正的勇士！”蚂蚁们对虫虫们说。

“亲爱的朋友，你们也是最棒的勇士！”虫虫们对蚂蚁们说。

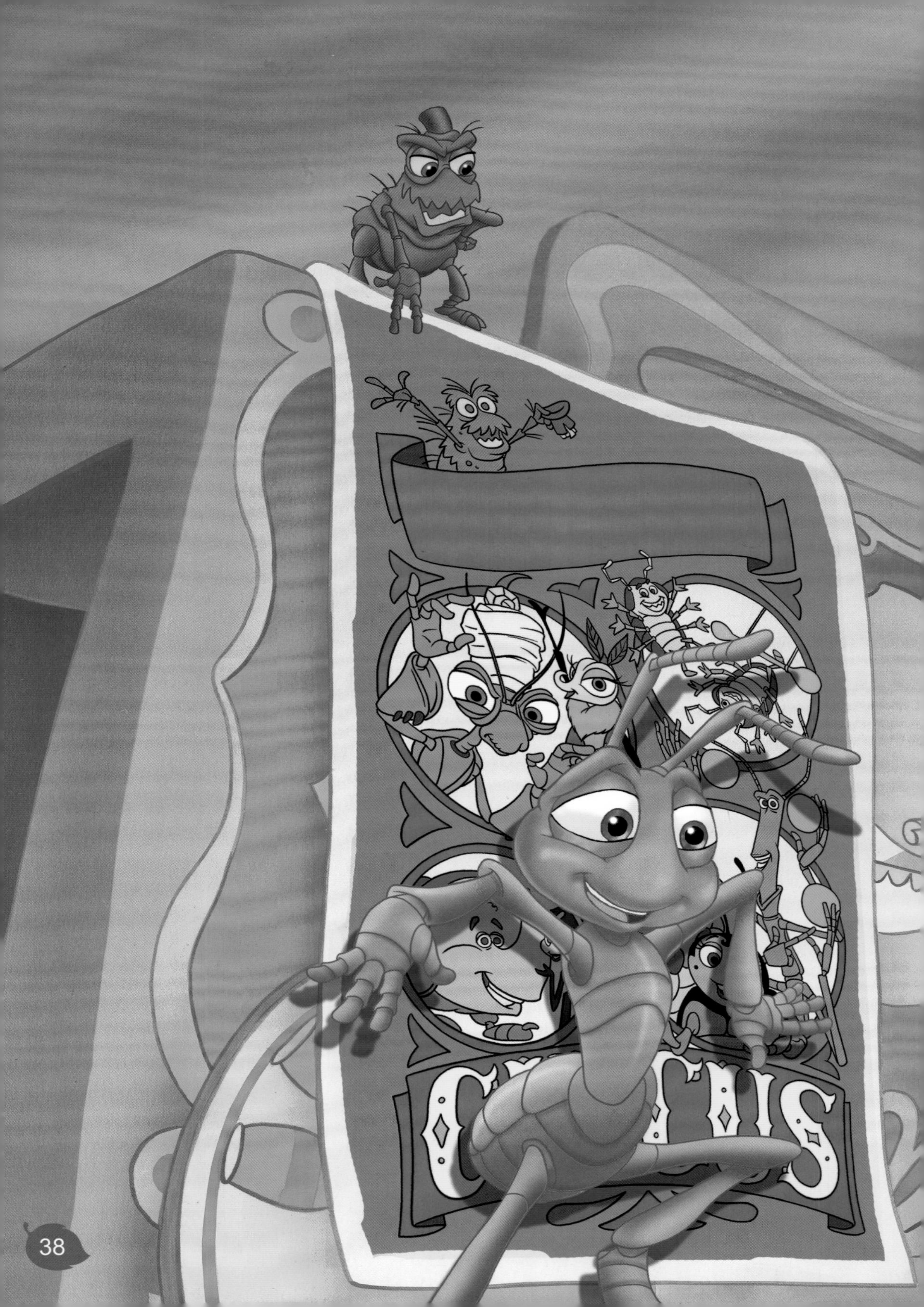

^{yè lǐ} ^{mǎ yǐ shān lái le yí gè xīn péng you} ^{mǎ xì}
夜里，蚂蚁山来了一个新朋友——马戏

^{tuán de} ^{tuán zhǎng} ^{tā lái zhǎo tā de huǒ bàn men} ^{fēi lì bù}
团的跳蚤团长，他来找他的伙伴们。飞力不

^{xiǎng ràng mǎ yǐ men zhī dào chóng chóng men de zhēn zhèng gōng zuò} ^{kě mǎ yǐ}
想让蚂蚁们知道虫虫们的真正工作，可蚂蚁

^{men hái shi míng bai le} ^{tā men xīn zhōng de yǒng shì zhǐ shì jǐ zhī huì}
们还是明白了：他们心中的勇士只是几只会

^{biǎo yǎn mǎ xì de chóng zi} ^{mǎ yǐ men hěn bù kāi xīn}
表演马戏的虫子。蚂蚁们很不开心。

有着同样心情的还有蚂蚁公主和蚂蚁女王。“请你们立马离开这里，再也不要回来！还有你，飞力，蚂蚁国不欢迎你！”蚂蚁女王生气地说。

飞力沉思了好一会儿，他本想再说些什么，最后还是和虫虫们一起离开了。

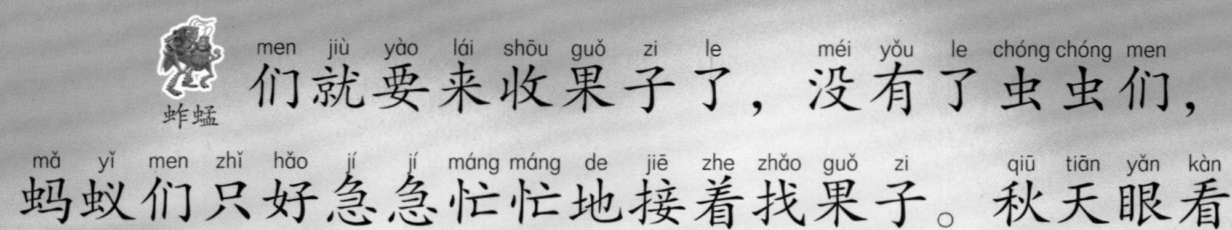

蚱蜢们就要来收果子了，没有了虫虫们，蚂蚁们只好急急忙忙地接着找果子。秋天眼看就要过去了，天气一天凉过一天，蚂蚁们能找到的果子少之又少。蚂蚁国该怎么应对可怕的蚱蜢？冬天大家要吃些什么？

一想到这里，蚂蚁公主和蚂蚁女王就又着急又害怕。

但蚂蚁们没想到的是，蚱蜢们当天就来了。

“果子在哪儿？要交给我们的果子在哪里？”一只眼蚱蜢一把提起蚂蚁女王，尖叫着问。

“只……只有这些。”女王结结巴巴地说。

蚱蜢们气坏了，“把蚂蚁们通通给我关起来！”一只眼蚱蜢红着眼睛喊道。

蚂蚁们的苦日子到来了。好在蚱蜢们没有发现小不点儿，小不点儿找机会跑了出来。她向着虫虫们离开的方向用力地飞啊，飞啊，在天黑前找到了飞力和虫虫们。

“飞力，请帮我救救大家吧！蚱蜢把蚂蚁们都关起来了！”小不点儿着急地说。

“不，我做不到的，没有勇士我们打不过蚱蜢。”飞力小声地说。

“我们有假鸟啊，飞力，我们可以的。”小不点儿说着，指了指飞力身边的石头，“把石头想成种子，给它时间，种子就……”

小不点儿的话让飞力一下子有了勇气。“来吧，我们现在就出发！”

就这样，飞力招呼伙伴们一起回到了蚂蚁山。大家分头行动，找到了躲起来的蚂蚁们。“团结在一起，打跑蚱蜢！”伙伴们高声呼喊。

夜里，蚱蜢们一边吃着蚂蚁们的果子，一边看着蚂蚁们干活儿。忽然，一个影子从树上冲下来。蚱蜢头儿定睛一看，天哪，是一只大“鸟”！

大“鸟”边飞边叫，蚱蜢们吓坏了，没一会儿全都跑走了。

大“鸟”在天上飞啊飞，最后一不小心着了火，落在了地面上。蚱蜢们这才发现上当了。不过他们知道得太晚了，飞力和虫虫们早就看好机会，救出了被关的蚂蚁们。

nǐ men zhè xiē xiǎo dōng xi wèi wǒ men gàn huór shì nǐ
“你们这些小东西，为我们干活儿是你
men de mìng yì zhī yǎn qì hóng le yǎn shuō
们的命！”一只眼蚱蜢气红了眼说。

fēi lì qì huài le bú kè qi de shuō dào wǒ men bú
飞力气坏了，不客气地说道：“我们不

shì shēng lái wèi nǐ men gàn huór de mǎ yǐ men yǒu néng lì zhǎo chī
是生来为你们干活儿的！蚂蚁们有能力找吃

de cái bú yòng pà nǐ men
的，才不用怕你们！”

fēi lì de jǔ dòng gěi le dà huǒr yǒng qì mǎ
飞力的举动给了大伙儿勇气。蚂

yǐ men hé (蚱蜢) men dǎ chéng le yì tuán
蚁们和(蚱蜢)们打成了一团。

zhè shí tiān kōng xià qǐ le dà yǔ yì zhī yǎn
这时，天空下起了大雨。一只眼蚱蜢

chōng xiàng fēi lì yǎn kàn jiù yào yǎo zhù fēi lì le hǎo zài mǎ
冲向飞力，眼看就要咬住飞力了。好在蚂

yǐ gōng zhǔ fēi lái jiù xià le fēi lì tā men yì qǐ bǎ yì
蚁公主飞来，救下了飞力。他们一起把一

zhī yǎn yǐn dào le xiǎo hé biān
只眼蚱蜢引到了小河边。

河边的草丛是大鸟的家。一只眼蚱蜢自以为是，以为又是一只假鸟，尖叫着跳来跳去。结果，大鸟飞过来，一口把他吃掉了。没有了带头人，蚱蜢们没了胆子，全都跑光了。

蚂蚁们成功了！大家都成为了真正的勇士！

JR. ★ COOKIES
JR. ★ COOKIES

dì èr nián chūn tiān mǎ yǐ shān yòu chuān shàng le lǜ sè de xīn
第二年春天，蚂蚁山又穿上了绿色的新
yī shí fēn měi lì xiǎo hé biān mǎ yǐ men hé chóng chóng men yī yī
衣，十分美丽。小河边，蚂蚁们和虫虫们一一
gào bié chóng chóng men zhǎo dào le xīn de gōng zuò mǎ yǐ men yě yíng lái
告别，虫虫们找到了新的工作，蚂蚁们也迎来
le tā men de xīn shēng huó zhè yí qiè duō me měi hǎo a
了他们的新生活。这一切多么美好啊！

虫虫马戏团在玩找不同的游戏。小朋友，你能和飞力一起，圈出每一组里不是同类的词语吗？

虫虫们会表演马戏，汉字们也会。仿照例子，加一加，写一写！记得为新字标注上拼音哟！

亻＋半＝伴（bàn）

⺌＋云＝

月＋旦＝

口＋下＝

扌＋是＝

扌＋兰＝

田＋心＝

冈＋刂＝

口＋乎＝

扌＋白＝

小朋友，下面这些字的部首都是“扌”，你理解它们的意思吗？想一想，把正确的汉字填入空格中。

捉 拍 挂 招 提

挑 拦 打 推 接

半（ ）半就

高高（ ）起

（ ）心吊胆

（ ）兵买马

捕风（ ）影

百里（ ）一

风吹雨（ ）

（ ）二连三

（ ）手叫好

东（ ）西阻

小朋友，请你选出和图片意思相对应的句子吧！

A. 大“鸟”一不小心着了火，落在了地面上。蚱蜢们发现上当了，很生气。

B. 大鸟追着虫虫们，虫虫们吓得跑的跑，躲的躲。

C. 假鸟完工了，小伙伴们合力把它挂在了树上。

D. 小河边，蚂蚁们和虫虫们一一告别，等着他们的将是全新的生活。

第7级总字表

一	二	三	四	五	六	七	八	九	十	两	上	下	大	小	多	少	花	草	天
地	春	鸟	朋	友	出	去	到	来	看	吃	笑	找	爱	玩	的	个	儿	了	只
早	不	高	兴	好	我	你	爸	妈	家	气	山	木	马	森	林	人	子	手	心
门	饭	水	前	后	跑	飞	走	开	回	要	进	坐	生	是	想	谢	做	睡	学
会	快	真	棒	乐	美	丽	很	什	么	们	跟	又	啊	吧	在	得	可	他	她
头	发	口	牙	面	星	日	云	海	河	夏	秋	风	雨	树	叶	狗	猪	狼	鱼
车	船	书	起	说	听	哭	跳	给	喝	吹	关	有	怕	白	黑	红	蓝	绿	黄
中	里	外	东	西	长	姐	妹	哥	弟	这	把	没	都	也	哪	吗	着	最	和
牛	羊	猫	鸡	鸭	鹅	毛	虫	兔	雪	石	米	土	豆	瓜	果	蛋	色	房	话
事	王	爷	公	主	包	歌	耳	师	床	衣	园	机	梦	农	场	请	打	放	伤
穿	唱	比	赛	完	成	见	动	工	作	救	对	太	明	晚	老	冬	行	条	朵
百	点	南	就	再	还	每	从	为	第	狮	象	阳	月	国	声	火	光	奶	菜
男	女	孩	电	灯	刀	画	班	课	年	身	市	道	厂	岁	台	午	元	语	巾
医	业	皮	网	桌	字	时	加	让	洗	反	习	干	用	知	同	住	数	过	问
交	写	分	推	信	胖	方	平	广	合	直	新	读	丑	甜	千	半	几	次	北
万	谁	那	自	己	当	向	全	更	正	虎	豹	鼠	猴	龟	蛇	蜜	蜂	蝴	蝶
竹	江	舌	鼻	目	脸	客	军	民	帽	鞋	袜	田	路	桥	塔	楼	窗	钟	表
礼	宝	贝	带	今	金	音	因	边	力	变	校	样	页	阴	羽	文	元	被	叫
别	办	现	吵	经	卫	立	接	送	扫	站	舞	拿	爬	掉	拉	减	剪	化	先
饱	共	青	奇	远	近	瘦	苦	灰	些	左	右	以	但	然	双	亮	片	像	才
本	册	欢	眼	睛	躲	巴	落	降	入	游	池	清	晴	保	护	害	情	病	遇
能	互	字	净	冰	间	迷	古	凉	细	帮	香	拍	玉	义	苹	桃	杏	众	升
词	句	纸	短	影	脚	挂	活	各	种	招	呼	觉	思	角	尖	块	连	吓	捉
喜	伙	伴	亲	尝	辆	该	应	急	忽	喊	夜	敢	胆	肉	念	提	挑	总	嘴
迟	追	扔	甩	拦	墙	通	结	遍	咬	吐	命	运	鹿	怎	刚	沉	丢	决	定

第7级重点字

本欢眼睛躲巴落定入
保护害情能丢间凉细
帮拍苹桃词影脚挂活
各种招呼思尖块连吓
捉喜伙伴亲尝该应急
忽决夜敢胆念提挑总
嘴迟追甩拦通结遍咬
命运怎刚沉

超范围字

cóng	mǎ	yǐ	fǎ	bēi	tā	máng	pèng	zhī	gǎn	yǒng	shì
丛	蚂	蚁	法	背	它	忙	碰	之	赶	勇	士
lí	xì	tuán	jǔ	yíng	zhàn	liú	yǎn	zhuó	yǐn	qiè	huài
离	戏	团	举	迎	战	流	演	啄	引	切	坏
shì	zhǐ	chōng	kōng	gōng	gào						
试	指	冲	空	功	告						

小朋友，《迪士尼我会自己读》前 6 级，你都看过了吗？如果前 6 级你全都看完了，那就赶快开始挑战第 7 级吧！

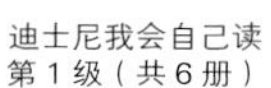
迪士尼我会自己读
第 1 级（共 6 册）

迪士尼我会自己读
第 2 级（共 6 册）

迪士尼我会自己读
第 3 级（共 6 册）

迪士尼我会自己读
第 4 级（共 6 册）

迪士尼我会自己读
第 5 级（共 6 册）

迪士尼我会自己读
第 6 级（共 6 册）

下面是第 7 级全部的故事，你读过几本了？每读一本，就在旁边的 ◯ 里打上“√”，没有读过的快去读吧！

专家小贴士

建议孩子同一级别的书多读几本，提高生字的复现率，便于孩子巩固强化已认生字。

亲爱的________小朋友：

恭喜你自己读完了这两个小故事。你获得了飞力和小不点儿发给你的“我会自己读”第7级荣誉证书，你还获得了七颗红星星哟！

我会自己读兴趣小组

________年____月____日

爸爸妈妈的签名________